*C. W. Ceram*

# Der erste Amerikaner

Das Rätsel
des vor-kolumbischen
Indianers

Büchergilde Gutenberg
Frankfurt am Main · Wien · Zürich

Die Originalausgabe erschien unter dem Titel
*The First American*
im Verlag Harcourt Brace Jovanovich, Inc., New York

Zeichnungen im Text
von Hannelore Marek

Lizenzausgabe für die Mitglieder der
Büchergilde Gutenberg Frankfurt a. M. Wien Zürich

Schutzumschlag und Einband Heinz Richter, Steinheim am Main
Gesamtherstellung Clausen & Bosse, Leck/Schleswig
Printed in Germany 1973. ISBN 3 7632 1364 3

«Der Archäologe kann die Tonne finden,
aber dennoch den Diogenes verfehlen.»
*Sir Mortimer Wheeler*

«Wir wollen aus der Vergangenheit
das Feuer übernehmen, nicht die Asche.»
*Jean Jaurès*

# Inhaltsverzeichnis

## Zweites Buch

## Drittes Buch



## Viertes Buch

# Wovon die Rede ist

«Auf einem Punkt vor allem kommt es an,
auf die Bedeutung des Abenteuers
für die Entwicklung und Erhaltung der Kultur.»

Alfred North Whitehead,
Mathematiker und Philosoph,
in ‹*Adventures of Ideas*›, 1933

Dies ist eine Geschichte der *Nord*amerikanischen Archäologie, genauer noch: der Archäologie der heutigen Vereinigten Staaten, damit eine Geschichte der nordamerikanischen *prähistorischen* Indianerkulturen.

Daß die Spanier vor fast fünfhundert Jahren in Mittel- und Südamerika indianische Hochkulturen, die der Azteken und Inkas, zerstörten, weiß jedermann. Daß aber die Archäologen in nunmehr rund hundertjähriger Arbeit auch in *Nord*amerika Zeugnisse einst blühender Kulturen aufdeckten, daß sie es auch hier mit der Erforschung von «Pyramiden» (Mounds), der Untersuchung von Mumien, dem Heben wissenschaftlicher, aber auch materiell durchaus wertvoller Schätze zu tun bekamen, daß sie das Leben der ersten Amerikaner bis zur Eiszeit, bis zu den Mammutjägern zurückverfolgen können, ist weit weniger bekannt.

Wie in meinen anderen Büchern folge ich auch hier, meist chronologisch, den Entdeckungen der Archäologie: Dabei ergibt sich von selber das Panorama der Kulturen und ihrer Geschichte so, wie es die Archäologen schichtweise aufdeckten. Damit macht mein Buch der Wissenschaft keine Konkurrenz, denn es soll hier nicht Wissenschaft getrieben, sondern zu ihr hingeführt werden. Die vorhandenen Bücher setzen ein Interesse voraus, das meine will dieses Interesse wecken, um den Unzähligen, die noch gar keine oder nur geringe Ahnung davon haben, das Auge zu öffnen für die Schätze der Vergangenheit.

Mein Buch bietet keine übliche «Populärwissenschaft», sondern es ist die Arbeit eines engagierten Schriftstellers, der ein Prinzip der französischen Naturalisten abwandelt: Nicht Natur, sondern «Wissenschaft gesehen durch ein Temperament».

Damit sind die kühnen Griffe in die Geschichte, die Kürzungen legitimiert, die der spezialisierte Wissenschaftler sich kaum erlauben darf, oder wofür er sich, wenn er es wagen *muß*, um überhaupt einige Ordnung in das ungeheure Material zu bringen, entschuldigt. So sagt Alex D. Krieger von der University of Washington, Seattle: «Das in Frage kommende Territorium ist so unermeßlich groß, daß es für den einzelnen im Grunde unmöglich ist, alle Grabungsverhältnisse in Augenschein zu nehmen und die Kulturzeugnisse auch nur an den allerwichtigsten Fundstellen zu untersuchen.»[1] Und McGregor von der University of Illinois ergänzt: «Die Forschung macht nach wie vor so rasche Fortschritte, und es liegen inzwischen so viele Detailergebnisse vor, daß im allgemeinen nur die wesentlichen Grundzüge dargelegt werden können» – und er spricht nur über einen Teil der Vereinigten Staaten, über den «Südwesten».[2]

Was auf die Geographie und die Sache zutrifft, gilt in diesem Buch auch für die Menschen: Nur einige Archäologen konnten mit ihrem Werk ausführlich vorgestellt werden, viele wurden nur erwähnt, aber zahllose, deren Werk nicht minder wichtig ist (zum Beispiel in den Territorien des Nordwestens und Alaskas), konnten nicht genannt werden, wollte ich nicht den roten Faden, der die Darstellung durchzieht, fallenlassen.

Andererseits enthält dieses Buch zahlreiche Informationen, die in der Fachliteratur nicht zu finden sind. Das ergibt sich notwendigerweise, wenn man als Schriftsteller, nicht als Wissenschaftler arbeitet: Man begibt sich auf die Suche nach dem Interessanten, dem Ungewöhnlichen, vor allem nach dem menschlichen Element in der als trocken verschrienen Wissenschaft. Aber ich habe die Genugtuung, mich freisprechen zu können von jeder gewaltsamen Romantisierung, von Überbetonung des Abenteuerlichen, des detektivischen Spürsinns, der so oft die Entdeckungen einleitete und begleitete. Der berühmte englische Archäologe Sir Mortimer Wheeler widmet in einem seiner Bücher der psychologischen Bedeutung des Abenteuerlichen für die Archäologie mehrere Abschnitte.[3] Gordon C. Baldwin von der University of Arizona, passionierter Ausgräber, sagte: «Der Archäologe arbeitet genauso wie der Detektiv im Kriminalroman, der aus einem einzigen Zigarettenstummel und ein, zwei Fäden eines Kleidungsstücks ein Verbrechen rekonstruiert. An Stelle der Zigaretten und Fäden stellt der Archäologe Keramikscherben sicher, verlorene Werkzeuge, Gebrauchsgegenstände und Holzkohlestückchen. Daraus stückt er die Geschichte von Menschen und Völkern zusammen, vom Leben und Sterben in längst vergessenen Städten.»[4]

Nun zeichnet sich Baldwin durch eine ungewöhnliche Weltoffenheit aus: er schrieb zum Vergnügen auch Wildwestromane. Aber auch H. Marie Wormington vom Denver Museum of Natural History, die mit größter wissenschaftlicher Strenge und Skepsis schreibt und keinerlei Romantizismen Raum gibt, kann nicht umhin, von den «Detektivmethoden der Archäologen» zu berichten.[5] Und wer noch mehr von der menschlich-abenteuerlichen Seite unseres Themas zu wissen wünscht, nehme den Bericht eines der profiliertesten nordamerikanischen Ausgräber zur Hand, der seit 1907 an vierundzwanzig Ausgrabungen beteiligt war: Neil M. Judd's ‹*Men met along the Trail: Ad-*

*ventures in Archaeology›* – Männer, die ich auf der Fährte traf: Abenteuer der Archäologie.

Niemals jedoch darf dieser Aspekt die wirklich nur mühsame, entsagungsreiche, rein wissenschaftliche Detailarbeit im Feld und im Museum überschatten. Niemals darf das Temperament die Genauigkeit der Fakten außer acht lassen oder gar verfälschen. So bestehen die Berichte dieses Buches *nur* aus Fakten und aus *keinerlei* Erfindung. Und weil zahlreiche Fragen – besonders der Datierung, aber auch der reinen Deutung – noch wissenschaftlicher Kontroverse unterliegen, sind, wo immer nur möglich, die *verschiedenen* Facetten des Problems aufgezeigt und immer wieder durch Zitate gestützt, deren Quellen sorgfältig angegeben sind.

Da eine ausführliche Bibliographie die Darstellung ergänzt, kann nicht nur der Laie oder der Vertreter anderer wissenschaftlicher Disziplinen, sondern auch der junge Student der Archäologie sich ihr anvertrauen – als einer *allgemeinen Einführung*, die das Interesse tiefer leitet. Für die meisten vieler europäischer Leser, einschließlich Archäologen, dürfte unser Buch die Aufdekkung puren Neulands sein.

Wertvolle Ratschläge und persönliche Freundschaft schenkte mir während der Arbeit Emil W. Haury, der große Lehrer an der University of Arizona, Ausgräber von Snaketown und vieler anderer Plätze. Er las als erster das ganze Manuskript und gab einige wichtige Korrekturen. Ihm gilt mein besonderer Dank, wie auch Frederick Johnson von der Peabody Foundation in Andover, der mir zahlreiches unveröffentlichtes Material zur Einsicht überließ und dann ebenfalls das ganze Manuskript noch einmal überprüfte. Wie sagte schon Henry Clyde Shetrone, der eines der heute bereits «klassischen» Werke zur nordamerikanischen Archäologie schrieb? «Der Autor appelliert an die Nachsicht insbesondere derjenigen seiner Leser, die auf Grund ihrer Kenntnisse und Erfahrungen in der Lage sind, seine Irrtümer zu bemerken» – was könnte ich anderes sagen?

Die ersten Kontakte schufen mir durch einführende Briefe meine Freunde Sanford J. Greenburger und Harold Strauss. Das Ergebnis waren ermunternde Hinweise von H. M. Wormington; Carleton Coon, früher am University Museum der University of Pennsylvania; Gladys Weinberg, damals Herausgeberin des Magazins *Archaeology*. Erste mündliche Hinweise erhielt ich von Frederick J. Dockstader vom Museum of the American Indian, New York; Froelich Rainey und Alfred Kidder II vom Museum der University of Pennsylvania; Richard P. Schaedel von der University of Texas, und in einem langen Interview mit dem damaligen Direktor des Bureau of Indian Affairs im Innenministerium in Washington D. C., Phileo Nash.

Emil W. Haury vermittelte mir zahlreiche Gespräche mit führenden Fachleuten, zum Beispiel mit Raymond H. Thompson, seinem Nachfolger als Direktor des Arizona State Museum in Tucson, mit Paul Damon, dem Leiter des Radiocarbon Laboratory, und Bryant Bannister, dem Direktor des Laboratory of Tree Ring Research. In Fragen der Datierung war mir Rainer Berger von der University of California von großer Hilfe, indem er mein Kapitel über die $C^{14}$-Methode überprüfte, und Ernst Hollstein, der mich über den Stand der deutschen Baumring-Datierung informierte.

In Flagstaff war von großzügiger Hilfsbereitschaft Edward B. Danson, Direktor des Museum of Northern Arizona, und Harold S. Colton, Gründer dieses Museums, der, obwohl in seinem vierundachtzigsten Jahre stehend, mir trotz glühender Hitze einen ganzen Nachmittag lang «seine» Ruinen zeigte; eine Führung, die dann George Gumerman in freundlicher Weise fortsetzte.

Dieselbe Unterstützung fand ich in Albuquerque bei Frank C. Hibben, dem Ausgräber der problematischen Sandia-Höhle, und bei Alfred E. Dittert jr. vom Laboratory of Anthropology in Santa Fé.

In Detailfragen erfuhr ich freundliche Beratung durch Admiral S. E. Morison; Saul K. Padover von der New School for Social Research in New York; Beverly E. Brickey vom City Art Museum of St. Louis und General Charles A. Lindbergh, der einst mit Alfred Vincent Kidder die ersten archäologischen Orientierungsflüge über New Mexico durchführte.

Shareen Brysac bin ich für ihre Hilfe bei der Beschaffung der zahlreichen Fotografien verpflichtet. Unschätzbare Hilfe gewährte mir mein Freund Nathan Resnick, Direktor der Bibliotheken der Long Island University; er erfüllte mir abseitigste Leserwünsche und beobachtete für mich zahlreiche wissenschaftliche Periodika, wodurch ich auf Arbeiten stieß, die mir sonst sicher entgangen wären.

Dr. Wolfgang Haberland vom Hamburger Völkerkundemuseum habe ich für die Übertragung der zahlreichen englischen Zitate zu danken.

Meinem Verleger und besten Freund seit mehr als zwanzig Jahren, Heinrich Maria Ledig-Rowohlt, bin ich verpflichtet für das persönliche Engagement bei der lektoralen Betreuung meines Buches, besonders aber für die vortreffliche Übersetzung der sechs amerikanischen Gedichte.

Ihnen allen danke ich aufs wärmste für die umfangreiche Hilfe auf einem Gebiet, das so unübersichtlich geworden ist, daß keiner des anderen leitende Hand entbehren kann.

Ganz besonderer, tiefer Dank aber gebührt meiner Frau Hannelore Marek. Auch zu Zeiten, da ein Autor inmitten seiner Materialberge zu verzweifeln beginnt, ja, aufgeben möchte, fand sie den rechten, über viereinhalb Jahre stets geduldigen Zuspruch. Solch persönlicher Dank gebührt auch meinem Freund Felix Guggenheim in Beverly Hills und meinen weisen Schriftsteller-Kollegen Robert Pick und Manuel Komroff in Woodstock.

C. W. Ceram
Woodstock, New York State
1972

# Vorspiel: Der Präsident und die seltsamen Hügel

Im Jahre 1781 wurde im Staat Virginia der damals dreizehn Vereinigten Staaten von Amerika ein höchst ungewöhnliches Buch geschrieben. Später allgemein bekannt als ‹*Notes on Virginia*›, lautete sein genauer Titel auf deutsch: Bemerkungen über Virginia; geschrieben im Jahre 1781, ein wenig korrigiert und erweitert im Winter 1782, zum Nutzen eines Fremden von Distinktion, als Antwort auf gewisse von ihm vorgetragene Fragen, betreffend ... Es folgen dreiundzwanzig Kapitel unterschiedlicher Länge.

Das Ungewöhnlichste an diesem Buch war sein Verfasser. Mehr als ein Jahrzehnt mit einem überdurchschnittlichen Arbeitspensum belastet und der breiten Öffentlichkeit kaum anders denn als Politiker bekannt, zeigte er sich hier zusätzlich als ein Mann von enzyklopädischer Bildung, dargebracht in exzellentem Stil. In den dreiundzwanzig Kapiteln der ‹Bemerkungen› gibt er weit mehr als eine Beschreibung, er gibt eine Anatomie seines Heimatlandes, wie sie zu seiner Zeit in solcher Exaktheit über kaum einen Landstrich der Welt, ganz gewiß über keine Region des neuen, wilden, kaum befreiten Amerika vorlag.

Er schreibt hier über Topographie und Geologie, Ökonomie und Politik, Zoologie und Botanik, er gibt Details über Flüsse und Häfen, über nützliche Pflanzen und wilde Tiere (ganz nebenbei läßt er sich dabei in einen Streit ein mit der berühmtesten Autorität seiner Zeit, mit dem französischen Naturforscher Buffon), über Mineralien und Marinestreitkräfte (3 Schiffe mit 16 Kanonen und zwei oder drei bewaffnete Boote, «kaum je einsatzbereit»), und das Buch enthält im elften Kapitel unter der Überschrift «Ureinwohner» den Bericht über ein Unternehmen des Verfassers, das in der damaligen Zeit ganz einmalig war. Man kann sagen, daß dieser THOMAS JEFFERSON, der zwanzig Jahre später der dritte PRÄ IDENT DER VEREINIGTEN STAATEN VON AMERIKA wurde, hier nicht weniger beschreibt als den ersten Versuch einer wissenschaftlich überlegten archäologischen Ausgrabung.

Natürlich war in Europa schon lange gegraben worden. Aber mit der Wissenschaftlichkeit stand es dabei nicht zum besten. Zufall und Raubsucht lenkten die Spaten. Nachdem wahrscheinlich 1674 der in Kleinasien und Griechenland reisende Arzt Jacob Spon dem Wort «Archäologie» seinen neuen Sinn gegeben hatte (nach dem griechischen *archaiologia*: Kunde von den alten Dingen), bezeichnete dieser Begriff bis zum 19. Jahrhundert selten mehr als die Beschäftigung mit der *Kunst* des Altertums und da ganz vorzugsweise mit den Schöpfungen der Griechen und Römer. Johann Joachim Winckelmann (1717–1767), den die Archäologen in aller Welt noch heute als den «Vater der Archäologie» verehren, veröffentlichte seine epochemachende ‹*Geschichte der Kunst des Altertums*› zwar schon im Jahre 1764 (und es ist höchst wahrscheinlich, daß der viel belesene Jefferson, der seinerzeit wohl die kostbarste Privatbibliothek Amerikas besaß, dieses Werk kannte); aber es war eben eine Geschichte der *Kunst*, besonders der Plastik, doch keineswegs eine der allgemeinen *Kultur*, deren Aufdeckung, Beschreibung und Deutung heute oberstes Ziel aller Archäologen ist. Und Winckelmann war auch kein *grabender* Forscher. Die, aus deren ergrabenen Funden er seine Theorien entwickelte, die ersten Ausgräber von Herculaneum und Pompeji seit 1711, arbeiteten im Auftrage von Königen vornehmlich als Schatzsucher, als *Kunst*schatz-Sucher. Ihre Grabungsmethoden hätten einem modernen Archäologen Entsetzen eingeflößt. Sie zerstörten mehr, als sie aus dem Schutt der Jahrtausende tatsächlich retteten. Und nicht die Spur eines wissenschaftlichen Erkenntnisdranges hemmte die Stoßkraft ihrer Spaten.

Und da nun berichtet im Jahre 1781 ein amerikanischer Politiker und Gentleman-Farmer von einer Ausgrabung, die er aus reinem Wissensdurst vorgenommen hatte und deren Methode so war, daß 173 Jahre später, im Jahre 1954, der berühmte englische Archäologe Sir Mortimer Wheeler noch feststellen konnte: «Keine geringe Leistung für einen vielbeschäftigten Staatsmann.»[1]

Nun war Thomas Jefferson (1743–1826) einer der ungewöhnlichsten Männer seiner Zeit – einer Zeit, die reich war an exzellenten Köpfen: An seiner Seite standen George Washington, Benjamin Franklin, Alexander Hamilton, James Madison, John Adams, Thomas Paine. Unter ihnen hebt sich Thomas Jefferson heraus als der Verfasser des folgenreichsten politischen Schriftstücks in der amerikanischen Geschichte: der Unabhängigkeitserklärung (1776). Dies eigentlich, abgesehen von seiner Präsidentschaft, war der Höhepunkt seiner Laufbahn, besser seiner öffentlichen Wirksamkeit, die sich jedoch in zahllosen Kanälen verströmte.

Sohn eines Tabakpflanzers, Friedensrichters und Milizobersten (der seine über sechzig Morgen Land noch sehr einfach für ein überdimensionales Faß Arrak-Punsch gekauft hatte), aufgewachsen in dem höchst luxuriösen Manor House eines verstorbenen Freundes seines Vaters, studierte er die Rechte und ging früh in die Politik. Mit 26 Jahren war er Abgeordneter im «House of Burgesses», der ersten legislativen Bürgervertretung auf amerikanischer Erde. Daneben betrieb er ein profundes Studium der Künste, der Literatur und der Wissenschaften. Er musizierte, las die griechischen und lateinischen Klassiker im Urtext und entwarf und baute als sein eigener Architekt seinen zauberhaften, weltberühmt gewordenen Landsitz Monticello, jahrzehntelang Treffpunkt der kultiviertesten Geister. Von hier ergoß sich die Flut seiner anregenden, belehrenden, polemisierenden Briefe – 18 000 schließlich am Ende seines Lebens –, voll der fortschrittlichsten Ideen: zur Negerfrage (obwohl er selber noch Sklaven besaß); zur Religion (die Religionsfreiheit, dazu Trennung von Staat und Kirche verfocht er sein Leben lang); zum Indianerproblem (in einem Brief an die Delawaren, Mohikaner und Munries schrieb er 1808: «Ihr werdet euch mit uns vermischen, euer Blut wird in unseren Adern rinnen und wird sich mit uns ausbreiten über diese große Insel»[2] – ein ungeheuerlicher Gedanke in seiner Zeit, denn er meinte das keineswegs symbolisch. Und dies alles in einem noch wilden Lande, in dem es kaum eine gute Straße gab, in dem die Mehrzahl der Einwohner in Blockhütten lebte, Mokassins und Waschbärenmützen trug, sich in selbstgewebten Kattun kleidete, und viele kaum des Schreibens kundig waren!).

Im Alter geriet Jefferson in Geldschwierigkeiten. Er mußte sich von seiner Bibliothek trennen. Für 23 000 Dollar verkaufte er sie dem Kongreß – sie wurde der Grundstock der «Library of Congress» – der heute bedeutendsten Bibliothek der Welt. Doch damit nicht genug. Sogar Monticello geriet in Gefahr. Da veranstalteten die Städte spontan eine Geldsammlung, und so konnte dem großen alten Mann durch die freiwilligen Spenden der Bürger der geliebte Landsitz erhalten bleiben.

Und noch einmal krönte er sein Werk: mit der Gründung der University of Virginia, die er als Zweiundachtzigjähriger eröffnete. Dann entwarf er den Text seines Grabsteins: «Hier liegt Thomas Jefferson begraben, Verfasser der Amerikanischen Unabhängigkeitserklärung, des Virginischen Statuts für religiöse Freiheit und Vater der University of Virginia.» 1826 starb er – auf den Tag genau, da fünfzig Jahre zuvor seine, die amerikanische Unabhängigkeitserklärung verkündet worden war – an dem 4. Juli, den das amerikanische Volk als Nationalfeiertag ehrt.

Während einer seiner wenigen Mußezeiten fern vom Trubel der Politik, als er das Amt des Gouverneurs von Virginia wegen einiger Mißhelligkeiten hatte abtreten müssen, schrieb er die ‹*Notes on Virginia*›. Noch zu seinen Lebzeiten erschienen sechzehn Ausgaben. Eine auf 200 Exemplare limitierte 1782 in

Paris, fünf Jahre später eine in London und 1789 sogar eine deutsche Ausgabe in Leipzig!

Und hier nun finden sich auf wenigen Seiten die Beobachtungen, die diesen außerordentlichen Mann für unser Thema, die Nordamerikanische Archäologie, so wichtig machen, daß ich dieses Buch mit ihm eröffne.[3]

Merkwürdigerweise beginnt Jefferson mit einer äußerst entmutigenden Feststellung: «Ich weiß von keiner Sache, die man als indianisches Denkmal bezeichnen könnte; denn dieses Attribut möchte ich Pfeilspitzen, Steinäxten, Tonpfeifen und rohgeformten Bildwerken durchaus nicht zubilligen.»

Doch sozusagen im gleichen Atemzuge nennt er die Ausnahme: «Es seien denn jene Grabhügel, von denen man viele, über das ganze Land verstreut, findet.» Und er beschreibt sie, für Grabhügel immer das altertümliche Wort *barrow* gebrauchend, wofür wir heute *mound* sagen: «Sie sind von verschiedener Größe, einige aus Erde aufgeschüttet, andere aus losen Steinen errichtet. Daß sie einmal letzte Ruhestätte für die Toten gewesen sind, ist jedermann klargewesen. Einige glaubten, sie bedecken die sterblichen Überreste derer, die einst an Ort und Stelle in der Schlacht gefallen waren. Andere dagegen erklärten sie mit einem angeblich weitverbreiteten indianischen Brauch, nämlich zu bestimmten Zeiten die Gebeine aller ihrer Toten an einem Ort zusammenzutragen, mochten sie auch zunächst nach dem Sterben andernorts aufbewahrt worden sein.»

Um mit diesen Spekulationen Schluß zu machen, also aus reinem Wissensdurst, beschließt er: «Da sich einer dieser Grabhügel, dieser *mounds* in meiner Nachbarschaft befand, wünschte ich mich zu vergewissern, ob eine – und welche – dieser Meinungen richtig war. Zu diesem Zweck beschloß ich, ihn zu öffnen und durch und durch zu untersuchen.»

Und er beginnt, wie kein moderner Archäologe das systematischer hätte machen können, mit einer genauen Beschreibung der Örtlichkeit. Auf tiefliegendem Gelände erhob sich dieser Mound, gegenüber lagen einige Hügel, die die Reste indianischer Siedlungen trugen. Er war von kuppelförmiger Gestalt, an der Basis an die 13 Meter im Durchmesser. Er mag ursprünglich 4 Meter hoch gewesen sein – das folgert Jefferson, denn er berücksichtigt, daß in den letzten zwölf Jahren, da das Land unter den Pflug genommen worden war, eine Abtragung des Erdreichs bis auf zweieinhalb Meter stattgefunden hatte. Aus Spuren rekonstruiert er, daß vor dieser «Kultivierung» dort beachtliche Bäume gestanden haben mußten, bis zu 30 Zentimeter dick.

Und dann beginnt er mit dem Abenteuer der Ausgrabung. Er erwähnt mit keinem Wort die Gefühle, die ihn zweifellos vor diesem ersten Spatenstich in eine rätselhafte Vergangenheit beseelt haben. Er referiert so nüchtern, als hätte er sein Leben lang nichts anderes getan als Ausgrabungen vorzunehmen:

«Ich grub zuerst oberflächlich an mehreren Stellen [des Mounds] und stieß in verschiedenen Tiefen, zwischen 15 und 90 Zentimetern, auf Ansammlungen menschlicher Knochen. Es herrschte ein völliges Durcheinander, die einen lagen senkrecht, die anderen schräg, wieder andere waagerecht, sie wiesen in sämtliche Himmelsrichtungen, alles war kraus und verworren, zusammengehalten nur durch das Erdreich.»

Aber er begnügt sich nicht damit, einfach die Unordnung festzustellen, er beschreibt sie detailliert, und das bringt ihn folgerichtig zu einigen zwingenden Schlüssen: «Knochen der verschiedensten Körperteile wurden beieinander gefunden, so zum Beispiel kleine Fußknochen in der Höhlung eines Schädels; zuweilen berührten auch viele Schädel einander, lagen auf dem Gesicht, auf der Seite, auf dem Hinterkopf, oben oder unten, so daß der Eindruck entstand, die Knochen seien unterschiedslos aus einem Sack oder Korb ausgeschüttet und mit Erde bedeckt worden, ohne Rücksicht auf ihre Zusammengehörigkeit. Am zahlreichsten waren Schädel vertreten, Unterkiefer und Zähne, sowie Knochen von Armen, Oberschenkeln, Beinen, Füßen und Händen. Nur wenige Rippen waren erhalten geblieben, dazu etliche Hals- und Rückenwirbel..., und nur in einem einzigen Exemplar der Knochen, der die Basis der Wirbelsäule bildet. Die Schädel waren so spröde, daß sie meistens bei Berührung zerbröselten. Die anderen Knochen waren fester. Es fanden sich etliche Zähne, die zu klein waren, als daß man sie hätte einem Erwachsenen zuschreiben können. Es fand sich weiter ein Schädel, der auf den ersten Blick wie der eines Kindes aussah; aber der fiel beim Herausheben auseinander, als hätte eine eingehende Untersuchung vermieden werden sollen; ferner eine Rippe sowie ein Unterkieferfragment eines Halbwüchsigen; desgleichen eine weitere Rippe, von einem Kind, und das Bruchstück eines Kinderkiefers, dem noch keine Zähne gewachsen waren. Dieses letzte Stück war der eindeutige Beweis dafür, daß hier Kinder begraben worden waren. Ich schenkte ihm deshalb meine besondere Aufmerksamkeit. Es war ein Teil der rechten Unterkieferhälfte. Die Fortsätze, die sie mit dem Schläfenbein verbunden hatten, waren vollständig erhalten, und der Knochen selbst war hart bis hin zu der Bruchstelle, was, soweit ich es beurteilen konnte, ungefähr die Gegend des Eckzahns war. Die Oberkante des Knochenkörpers, in der die Zahnfächer zu liegen pflegen, war vollkommen glatt. Ich habe die Länge des Bruchstücks am Unterkiefer eines Erwachsenen gemessen, indem ich Kronen- und Gelenkfortsatz der Kiefer aufeinanderlegte, und festgestellt, daß das Kieferfragment des Kindes mit seiner Bruchstelle bis zum vorletzten Mahlzahn im Erwachsenengebiß reichte. Dieser Knochen war weiß, alle anderen sandfarben. Da die Knochen von Kindern weich sind, verfallen sie wahrscheinlich schneller. Das mag der Grund sein, warum hier so wenige gefunden wurden.»

Und nun schreibt Jefferson einen ganz einfachen Entschluß nieder: «Dann ging ich daran, einen *senkrechten Schnitt* durch den Grabhügel zu legen, um seinen inneren Aufbau zu untersuchen.»

*Mit diesem Satz beginnt die Geschichte einer speziellen archäologischen Disziplin!*

Nicht *was* er jetzt noch in seinem Hügel findet, ist wichtig für uns, für unsere Geschichte der Nordamerikanischen Archäologie, sondern *wie* er es findet, wie er sofort Schlüsse zieht, wie er einen toten Knochenhügel verlebendigt dadurch, daß er das Element der *Zeit* und damit der *Entwicklung* erkennt: «Dieser [der Schnitt] verlief ungefähr einen Meter von der Mitte entfernt, war bis zur einstigen Erdoberfläche offen und so breit, daß ihn ein Mensch durchschreiten und seine Wände untersuchen konnte. Auf dem Boden... fand ich Knochen; darüber ein paar Steine, von einem Abhang herbeigeschleppt, der gut 400 Meter, und aus dem Fluß, der etwa 200 Meter entfernt liegt; dann eine dicke Lage Erde, schließlich eine Schicht (*stratum*) Knochen und so weiter. An einem Ende des Durchstiches traten vier Knochenschichten deutlich sichtbar zutage, am anderen Ende drei; dabei lagen die Schichten im einen Teil nicht in derselben Ebene wie die Schichten im anderen. Die Knochen, die der Oberfläche am nächsten lagen, waren am wenigsten verwest. Es waren in ihnen keine Löcher zu entdecken, wie sie von Kugeln, Pfeilen und anderen Waffen herrühren. Ich vermutete, daß in diesem Grabhügel an die tausend Skelette lagen. Jedermann wird jetzt ohne weiteres die oben geschilderten Umstände richtig erfassen, die gegen die Meinung sprechen, der Hügel bedecke ausschließlich die Gebeine gefallener Krieger; ... Der Augenschein bewies mit Gewißheit, daß der Hügel sowohl seine Entstehung als auch seinen Ausbau dem Brauch verdankte, die Gebeine der Toten zu sammeln und gemeinsam zu bestatten; daß die erste Knochenansammlung einfach auf ebener Erde ausgebreitet, mit ein paar Steinen belegt und dann mit einer Schicht Erde zugedeckt worden war; daß die zweite Knochenschicht darüber gebreitet worden war und die untere Schicht mehr oder weniger überlagert hatte, je nachdem wie viele Knochen sie (die obere Schicht) im Verhältnis zur Unterlage umfaßte, und dann mit Erde bedeckt worden war; und so weiter. Dieses Bild ergibt sich im einzelnen aus den folgenden Grabungsbefunden:

1. Anzahl der Knochen;
2. ihre verworrene Lage;
3. ihr Vorkommen in verschiedenen Schichten;
4. die fehlende Übereinstimmung zwischen den Schichten in einem Teil (des Hügels) und den Schichten in einem anderen Teil;

5. der unterschiedliche Verwesungsgrad in diesen Schichten, der auf Zeitunterschiede zwischen den einzelnen Beerdigungen zu deuten scheint;
6. das Vorhandensein von Kinderknochen.»

In diesem kurzen Absatz entwickelt Jefferson im Jahre 1781 (in diesem Jahr schrieb er die erste Fassung) nicht mehr und nicht weniger als das wichtigste Hilfsmittel aller Archäologen, mögen sie im fernsten Osten, im Zweistromland oder in Ägypten, in Yucatán oder in Arizona arbeiten: *die Stratigraphie*. Die Methode, aus der Schichtung der Relikte auf ihr Alter zu schließen, das heißt ihren *Kalender* zu entwickeln. Das klingt ungeheuer einfach. Aber noch heute, da die Atomphysik und andere Naturwissenschaften dem Archäologen äußerst präzise Hilfsmittel der Zeitbestimmung geliefert haben, ist die Stratigraphie die «Hohe Schule» jedes Archäologen, in der jeder Schüler aufs strengste ausgebildet werden muß und in der selbst der Meister nicht auslernt.

Nebenbei ist bemerkenswert, daß dieser außerordentliche Mann nicht nur die Grundzüge der stratigraphischen Methode andeutete (auf deren hohe Kunst wir später noch ausführlich zurückkommen werden), sondern ihr auch den Namen gab, obwohl es hundert Jahre dauern sollte, bis dieser Name im archäologischen Schulgebrauch gang und gäbe wurde. Jefferson verwendet nämlich in diesem klassischen Abschnitt sechsmal das Wort «stratum» für «Schicht». Und noch eine Nebenbei-Bemerkung: Seine erste wissenschaftliche Grabung hat in unseren Tagen eine Pointe erfahren, von der sich Jefferson nichts hätte träumen lassen. Er selbst sozusagen ist Gegenstand einer archäologischen Grabung geworden. Der erfolgreiche amerikanische Amateur-Archäologe Roland Wells Robbins suchte seit 1954 nach den Spuren und Resten des längst verschwundenen Jeffersonschen Geburtshauses. Er fand sie und legte sie mit einer stratigraphischen Methode bloß, die der Mann ihm vorgezeichnet hatte, der dort Kind war.

Wie soll man seine Entdeckung, seine Methode, die Arbeit seines Spatens an diesem virginischen Hügel heute einordnen? Die europäischen Historiker der Archäologie haben Jefferson bis heute, bis auf die folgende eine Ausnahme, überhaupt nicht erwähnt. Erst Sir Mortimer Wheeler, unser Zeitgenosse, Direktor mehrerer archäologischer Institute, einer der penibelsten Ausgräber in England und Indien, stellt fest: «Er beschreibt die Lage des Grabhügels in bezug auf seine natürliche Umgebung und auf die Zeugnisse menschlicher Besiedlung. Er entdeckt Teile von geologischem Interesse in seinen Baumaterialien und verfolgt ihre Herkunft. Er zeigt die stratigraphischen Phasen der Entstehung des Grabhügels. Er zeichnet gewisse bedeutsame Züge der Skelettreste auf. Und er vergleicht seine Beweisstücke nüchtern mit den geläufigen Theorien.» Und er sagt: «Dies geschah, man bedenke, im Jahr 1784!» – wobei er sich nur im Jahr irrt – es war drei Jahre früher.[4]

Jefferson konnte nicht wissen, wie alt und von welcher Art dieses Volk war, das diese Mounds erbaut hatte. Er wußte, daß es viele solcher Hügel gab, aber er ahnte nicht, daß allein im Mississippi- und Ohio-Tal *Tausende* davon zu finden waren, in den bizarrsten Formen, tierähnlich oft, solcherart *einmalig in der Welt.* Aber er hat zweifellos die entscheidende Frage gestellt, nämlich die nach dem *ersten Amerikaner*, die Frage: *Woher* kamen diese Menschen, die solches bauten? Und Jefferson gibt die prinzipiell richtige Antwort: auf dem nördlichen Wege aus Asien! Aber es hat mehr als 150 Jahre gedauert, und die irrsinnigsten Theorien sind zu dieser Frage geäußerst worden, bis wir das einwandfrei beweisen konnten. Und die Geschichte dieser Beweisführung, die Geschichte der Suche nach den ersten Amerikanern, ist das Thema dieses Buches.

Allerdings: Nicht die Mounds waren es, die als sonderbare architektonische Zeugnisse einer rätselhaften Vergangenheit die ersten Fragen herausforderten. Denn Nordamerika ist nicht vom Osten her erobert worden, sondern vom Süden, nicht von den Söhnen der Pilgerväter seit 1620, sondern fast hundert Jahre früher von den Spaniern, die von Mexiko her aufbrachen. Sie trafen auf sehr merkwürdige Bauwerke, aber sie interessierten sich nicht dafür, denn sie waren auf der Suche nach Gold; sie entdeckten die «Pueblos», die indianischen Hochhäuser, aber sie waren auf der Suche nach sagenhaften Gefilden, nach den «Sieben Städten von Cibola» etwa, wo die Straßen mit Gold gepflastert sein sollten. Unterm Kreuz und mit dem Schwert zogen sie in die Pueblos ein – und sie verpaßten eine einzigartige Gelegenheit. Sie hätten die Freundeshand einem *vorgeschichtlichen* Volk reichen können; sie hätten, hätten sie geforscht statt geplündert, uns unschätzbare Aufschlüsse über eine frühe Kultur geben können (denn sie trafen noch auf Pueblos, die ein halbes Jahrtausend ununterbrochen bewohnt waren!). Sie reichten diesen demütigen «Primitiven», diesen «Heiden», auch ihre Hand – aber diese Hand war über und über blutig!

*Thomas Jefferson (1743–1826), dritter Präsident der Vereinigten Staaten, hier porträtiert von Rembrandt Peale, 1803. Mit einer Mound-Ausgrabung in Virginia leitete Jefferson die wissenschaftliche Ausgrabung in Nordamerika ein. Die Zeichnung des phantasievoll belebten alten Festungsmounds stammt aus dem Jahre 1858, da die Mounds seit Jahrhunderten verlassen waren, verweht oder zugewachsen.*

*Rechts oben Adolph F. Bandelier (1840–1914), der Pionier der Erforschung des Südwestens der USA. Unten links Alfred V. Kidder (1885–1963), der die streng wissenschaftlichen Methoden einführte, die dann (rechts) Emil W. Haury (geb. 1904) bis in unsere Tage fortführte und verbesserte, vor allem bei seiner Ausgrabung in der «Schlangenstadt», Snaketown, in Arizona.*

*Ein Museumsmodell des Pueblo Aztec, hier rekonstruiert bis zum dritten Stockwerk. («Aztec» hat nichts mit den Azteken Mexikos zu tun, sondern bezeichnet einen Platz in der Nordostecke von* New *Mexico.) Das kreisförmige Gebäude im Vordergrund ist der «Große Kiva» (zwölfeinhalb Meter im Durchmesser), der nur Männern vorbehaltene Versammlungsraum. Im Jahre 1252 nach Chr. wurde das Pueblo, das insgesamt nahezu 400 Räume enthielt, aus geheimnisvollen Gründen verlassen.*

*Earl H. Morris, der berühmt geworden war als Ausgräber von Aztec, hier (links) während einer Grabung im Cañon del Muerto (Todes-Cañon).*
*Zweiundzwanzig Schädel zeigt unser Bild, Körbe und Vasen, dazu mehrere Mumien, von denen die zweite von rechts besonders gut erhalten ist;*
*die linken sind noch bis zur Unkenntlichkeit in geflochtene Matten verpackt.*

*Mumie aus den Aztec-Ruinen, noch halb verpackt in Flechtwerk; dazu keramische Grabbeigaben. Die Kopfhaut ist schlecht, die Haare sind noch einigermaßen erhalten.*

*Mumie aus einer Höhle in Grand Gulch, Utah, mit noch wohlerhaltenem Lendenschurz.*

*Zwei indianische Helfer bei der Ausgrabung des Raumes Nr. 62 im Pueblo Bonito, New Mexico. Am Boden Keramik, «in situ», das heißt noch genauso wie sie freigelegt wurde. Man sieht deutlich, daß die Wände sorgfältig verputzt waren. Bonito beherbergte auf dem Höhepunkt seiner Entwicklung, im 12. Jahrhundert nach Chr., mehr als 1200 Menschen.*

*Blick in das Radiocarbon-Laboratorium der University of Pennsylvania. Hier wird in alten organischen Überresten, sei es ein Mumienstück oder eine Sandale, der Rest eines prähistorischen Holzfeuers oder der Stiel eines Speers, die Menge des noch erhaltenen Kohlenstoffs 14 gemessen – was eine relativ genaue Datierung all dieser Stücke erlaubt. Die Methode wurde von Willard F. Libby erfunden, der dafür 1960 den Nobelpreis erhielt.*

# Erstes Buch

# 1. Kolumbus, die Wikinger und die Skrälinger

Der 12. Oktober ist in den Vereinigten Staaten ein Nationalfeiertag. Es ist der Tag, da im Jahre 1492 Kolumbus die «Neue Welt» erblickte. Weil er glaubte, Indien erreicht zu haben, nannte er die Einwohner «Indios», Indianer. Der Name «Amerika» wurde dem neuen Kontinent erst später verliehen – nach dem Reisenden Amerigo Vespucci.

Zahlreiche Städte in den USA sind nach Kolumbus benannt, ein Berg, ein Fluß und eine Universität, dazu zahllose Straßen, Kinos und Drugstores. Der «Columbus Day» ist ein Tag der Paraden und der Freude. Kein Gedenktag aber führte zu so gewaltigen Demonstrationen wie denen des Jahres 1965 (Zeitungsnachricht: «In New York herrschte fünf Stunden ein Verkehrschaos»), zu Demonstrationen besonders der Amerikaner italienischer Herkunft gegen eine Theorie, die längst bekannt war, die aber plötzlich neue Nahrung erhalten hatte, die man ernst nehmen mußte. Ausgerechnet zwei Tage vor dem «Columbus Day» war nämlich in der *New York Times* ein Artikel erschienen, der die italo-amerikanischen Gemüter, die sich ihren genuesischen Kolumbus nicht nehmen lassen wollten, aufschäumen ließ. Denn der Artikel, datiert «New Haven, 10. Oktober», begann mit der sensationellen Feststellung:

«Die Yale University verkündete heute ‹die überraschendste kartographische Entdeckung des Jahrhunderts› – die einzige bekannte vorkolumbische Landkarte jener Länder der Neuen Welt, die Leif Eriksson im 11. Jahrhundert entdeckte.» Neben dem Artikel war die Karte abgebildet. Kein Zweifel: In der linken oberen Ecke war «Vinland» eingezeichnet (womit, darüber gibt es heute keinen Zweifel mehr, ein Teil Nordamerikas gemeint ist). Als Entstehungsdatum dieser Karte gaben die Yale-Forscher «um 1440» an, also ein Datum, das mehr als fünfzig Jahre vor der Entdeckung des Kolumbus lag. Daß sie über die *New York Times* nun ausgerechnet Dienstag, den 12. Oktober, den Columbus Day, als den Tag angaben, an dem sie die Karte zum erstenmal der Öffentlichkeit präsentieren wollten, empfand besonders die «Italian Historical Society of America» nicht nur als Affront, sondern als Geschmacklosigkeit.

Wo kam diese außerordentliche Karte plötzlich her?

Daß Kolumbus nicht Nordamerika entdeckt hat, sondern die Wikinger rund 500 Jahre vor ihm, steht schon seit Jahrzehnten in unseren Schulbüchern. Daß nun gerade die rund zehn bis fünfzehn Millionen Nordamerikaner italienischer Abstammung unbeirrbar darauf bestehen, die Wikinger-Fahrten als Sage abzutun und Kolumbus jedes Jahr zu feiern, entbehrt nicht der Ironie. Denn erstens ist es gar nicht sicher, ob Kolumbus überhaupt Italiener war, und zweitens steht seit jeher einwandfrei fest, daß Kolumbus den *nordamerikanischen* Kontinent nicht einmal von fern gesehen, geschweige denn betreten hat. Er entdeckte *nur* die Mittelamerika vorgelagerten Inseln. Ja, selbst den südamerikanischen Kontinent sah er erst auf seiner dritten Reise im Jahre 1498 – *ein Jahr vorher aber*, am 24. Juni 1497, hatte John Cabot von England aus *tatsächlich* Nordamerika neuentdeckt. Er war bei Cape Bauld, Neufundland, gelandet, umsegelte Cape Race, konnte dann allerdings nicht, wie die Historiker bis vor wenigen Jahren glaubten, die Küste Nordamerikas bis Kap Hatteras erforschen, sondern mußte aus Zeitmangel umkehren. (Nach neuesten Forschungsergebnissen. Von Admiral S. E. Morison, Cambridge, am 3. Dezember 1969 dem Verfasser schriftlich mitgeteilt.)

Wie dem auch sei: Wenn jemand als Entdecker von *Nord*amerika gefeiert werden sollte (von den Wikingern und obskuren Späteren abgesehen), dann ist es Cabot, niemals Kolumbus. Und die Ironie der Geschichte will es, daß

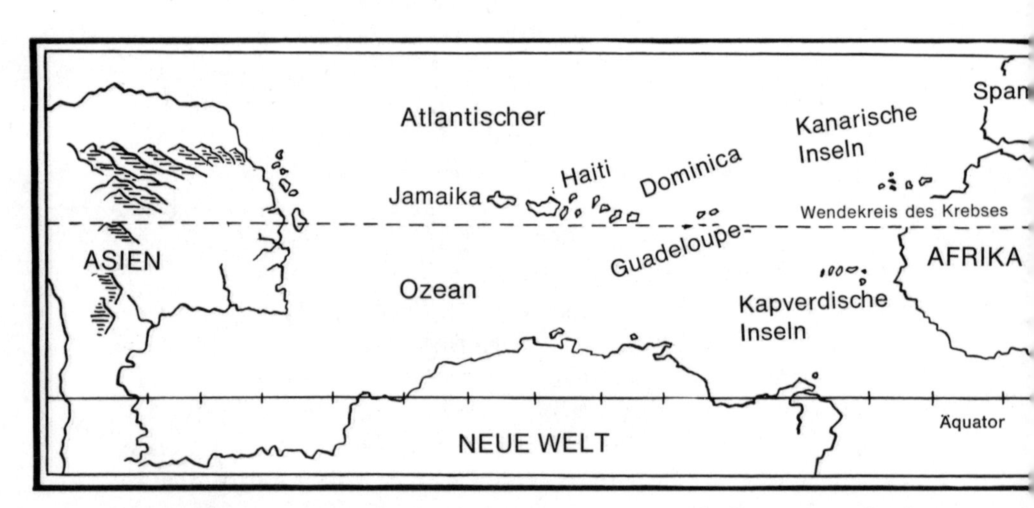


*Das Weltbild zur Zeit des Kolumbus. Nach einer Karte, die Zorzi zugeschrieben wird, um das Jahr 1503. Des Kolumbus falsche Vorstellung, daß er Indien entdeckt habe, ist bei dem Zeichner noch wirksam: Die «Neue» Welt hängt mit Asien zusammen.*

auf Cabot besonders, und viel berechtigter, alle Italiener stolz sein könnten, denn John Cabot hieß in Wirklichkeit Giovanni Càboto und war *zweifelsfrei* Italiener, der lediglich in englischen Diensten stand.

Was nun des Kolumbus Abstammung betrifft, so ist sie in manchem unklar. Es ist wahrscheinlich, daß er in Genua geboren wurde, doch ist es keineswegs sicher, ob seine Eltern Italiener waren. Das erste Abenteuer, das wir von ihm kennen, besteht darin, daß er als wahrscheinlich Vierzehnjähriger an einer Seeschlacht bei Kap St. Vincent teilnahm – auf *portugiesischer* Seite, *gegen* Genua. Er nannte sich selbst stets spanisch Cristóbal Colón, niemals in der italienischen Form Cristoforo Colombo. Ja, unter all seinen Aufzeichnungen befindet sich nicht eine einzige Zeile auf italienisch – selbst die Briefe an seine Brüder und an Genueser Behörden sind in spanisch abgefaßt, und auch seine Brüder bezeichneten sich selber mit den *spanischen* Namen Bartolomé und Diego. Es gibt sogar eine, wenn auch schwach begründete Theorie, wonach er der Sohn jüdischer Spanier gewesen sei, die vor der Inquisition, die damals über Spanien tobte, nach Italien geflüchtet waren.

Wohlgemerkt: Sicher ist all das nicht, und unseren Schulbüchern und der «Italian Historical Society of America» soll mit diesen Bemerkungen ihr Kolumbus nicht geraubt werden. Wenn er auch nie den nordamerikanischen Kontinent gesehen hat und bis an sein Lebensende wähnte, Indien entdeckt zu haben: Er bleibt die Hauptfigur des Zeitalters der Entdeckungen. Damit steht seine Tat in der Geschichte weit über der der Wikinger. Um das klarzustellen, muß hier einiges über diese «Nordmänner» gesagt werden. Zuvor aber noch ein letztes Wort über Kolumbus, das die Begründung dafür gibt, warum wir unser Buch ‹*Der erste Amerikaner*› mit ihm beginnen. Kolumbus war, da ist leider kein Zweifel, der erste Sklavenjäger auf den Inseln vor dem amerikanischen Kontinent. Das abfälligste Wort über ihn: Er habe lediglich die Sklaverei nach Amerika und die Syphilis nach Europa gebracht (die Syphilis war eine verhältnismäßig harmlose Krankheit in Mittelamerika, die erst nach ihrer Einschleppung durch des Kolumbus Matrosen in Europa zur schrecklichsten Seuche wurde). Doch gleichzeitig war er auch der erste, der recht genaue Untersuchungen über Land und Leute anstellen ließ, und zwar so gründlich, daß der amerikanische Anthropologe Edward Gaylord Bourne ihn in einem Vortrag 1906 vielleicht etwas übertrieben enthusiastisch, aber eben doch «den Begründer der amerikanischen Anthropologie» nannte.

Diese für uns interessante Seite des Kolumbus ist so wenig bekannt, daß wir sie durch ein Beispiel erhellen wollen. Das Zitat stammt aus der Biographie des Fernando Colón, eines natürlichen Sohnes von Kolumbus, über seinen Vater. Dort gibt er einen Bericht seines Vaters wieder im genauen Wortlaut des Admirals.[1]

«Ich habe mir viele Mühe gegeben, in Erfahrung zu bringen, woran sie glauben und ob sie wissen, wohin sie nach dem Tode gehen, besonders von Caonabo, dem größten Herrscher in Española, einem betagten Manne von großem Wissen und sehr regem Verstand. Er und andere erklärten, daß sie zu einem bestimmten Tal gingen, von dem jeder bedeutende Kazike glaubt, daß es in seiner eigenen Urheimat gelegen sei; sie geben kund, sie würden dort ihre Väter antreffen und alle ihre Vorfahren; sie würden dort Speisen und Frauen haben und sich allen erdenklichen Freuden hingeben können. So ist es ausführlicher in dem folgenden Bericht dargelegt, in welchem ein gewisser Bruder Roman (Ramon), der ihre Sprache verstand, auf meinen Befehl alle ihre Zeremonien und ihre Berichte über die Vergangenheit gesammelt hat, obwohl vieles davon Sage ist, so daß niemand daraus irgendeinen Nutzen ziehen kann, es sei denn die Erkenntnis, daß ein jeder von ihnen eine gewisse natürliche Beziehung zur Zukunft hat und an die Unsterblichkeit unserer Seelen glaubt.»

Solche Worte des Kolumbus und der Bericht des erwähnten Priesters Ramon Pane mögen dazu beigetragen haben, daß die Katholischen Majestäten und die Kirche sich außerordentlich beeilten, die Indianer zu «Menschen» zu erklären. Denn so unglaublich es heute klingt: Da die Existenz «rothäutiger» Menschen aus der Bibel nicht erklärt werden konnte, wurde anfangs daran gezweifelt, ob sie überhaupt Menschen seien.

Zurück zur Vinland-Karte. Dieser Kartenfund war ein purer Zufall. Wie Thomas Marston von der Yale University berichtet: «Im Oktober 1957 zeigte der Antiquar Laurence Witten aus New Haven meinem Kollegen Alexander O. Vietor und mir ein schmales, neu in Kalbsleder gebundenes Bändchen, welches eine Weltkarte einschließlich Islands, Grönlands und Vinlands sowie einen bisher unbekannten Bericht über die Mission des Johann de Plano Carpini zu den Mongolen in den Jahren 1245–47 enthielt. Mr. Witten erzählte uns, er hätte das Büchlein aus einer europäischen Privatsammlung erworben.» [2]

Das Manuskript der Mongolenreise, die sogenannte ‹*Tartar-Relation*›, braucht uns hier nicht zu interessieren. Mit der Karte beschäftigten sich die Wissenschaftler rund acht Jahre lang. Dann schritten sie zu der dramatischen Veröffentlichung kurz vor dem Columbus Day, wobei besonders der Text, der sich links oben auf der Karte befindet, die Gemüter erregte: «Durch Gottes Fügung entdeckten die Gefährten Bjarni und Leif Eiriksson, nach einer langen Reise von der Insel Grönland gen Süden in die entferntesten unbekannten Teile des westlichen Ozeans, südwärts durch das Eis segelnd, ein neues sehr fruchtbares Land, wo es sogar Weinstöcke gab, weshalb sie die Insel Vinland nannten . . .»

Im Vorwort zu der 1965 erfolgten Veröffentlichung ‹*The Vinland Map*› schreibt Vietor: «Die Vinland-Karte zeigt die älteste bekannte und gesicherte kartographische Darstellung aller Teile beider Amerikas, und sie enthält einen so überraschend genauen Umriß Grönlands, daß er sehr wohl auf Erfahrung gründen könnte. Wenn, wie Mr. Skelton annimmt, dieser Teil der Karte im Norden, wahrscheinlich in Island, entstand, dann stellt sie das einzige erhaltene mittelalterliche Beispiel altnordischer Kartographie dar. Akzeptiert man diese Schlußfolgerungen, so ergeben sich daraus weitreichende Folgen sowohl für die Geschichte der Kartographie wie für die Schiffahrtsgeschichte der Wikinger.»

«Akzeptiert man sie ...» schreibt er. Sollte es nach achtjähriger Prüfung der Karte doch noch Zweifel geben? Er fügt hinzu: «Da sich ihre Entstehungsgeschichte nicht lückenlos nachweisen läßt, gibt es keinen absoluten und unangreifbaren Beweis dafür, daß sie nicht gefälscht ist.» Aber er sagt auch: «Alle Untersuchungsmethoden, soweit sie das Manuskript nicht beschädigt oder vernichtet hätten, sind angewandt worden», und er gibt dann seine tiefe Überzeugung (und die seiner Kollegen) zum Ausdruck, daß die Karte mit ihren klaren Küstenkonturen echt ist, daß sie um das Jahr 1440 entstand und offenkundig auf noch ältere Quellen zurückgeht.

Die überaus große Vorsicht der Gelehrten besonders auf dem Gebiet der Wikinger-Forschung hat ihren sehr guten Grund. Es war nämlich eine Fälschung (oder doch nicht?), die einst das erste große Aufsehen erregte und eine jahrzehntelange wissenschaftliche Auseinandersetzung hervorrief: der sogenannte «Kensington-Stein».

Obwohl, wie gesagt, die Tatsache, daß Wikinger vor Kolumbus Nordamerika erreicht hatten, schon im vorigen Jahrhundert akzeptiert worden war, stützte sich doch diese Überzeugung auf nichts anderes als auf die altnordischen Sagen, die von Mund zu Mund weitergereicht und erst vom dreizehnten Jahrhundert an schriftlich fixiert wurden.

Es war also eine Sensation ersten Ranges, als diesen Sagen sich plötzlich ein «Dokument» zugesellte, ein buchstäblich steingewordenes Zeugnis dafür, daß Nordmänner lange vor Kolumbus auf dem nordamerikanischen Kontinent gewesen waren.

Gegen Ende des Jahres 1898 fand der Farmer Olof Ohman, ein schwedischer Einwanderer, nahe Kensington im Staate Minnesota unter den Wurzeln einer Espe einen großen behauenen Stein. Er war ungefähr 75 Zentimeter hoch, 40 Zentimeter breit und etwa 15 Zentimeter dick. Er sah wie ein Grabstein aus. Der zehnjährige Sohn des Farmers war der erste, der erkannte, daß der Stein merkwürdig fremde Schriftzeichen trug. Ein Nachbar wurde zur Begutachtung herbeigeholt – und dann begann die bis heute nicht beendete

Amerikas klassischer Schulbuchdichter, Henry Wadsworth Longfellow, veröffentlichte 1841 die Ballade ‹*Das Skelett in Waffen*›. Sie basierte auf den Nachrichten vom Fund eines Skeletts in voller Rüstung (in Fall River, Massachusetts, zehn Jahre vorher), das man für das eines Wikingers hielt, und auf der Überzeugung, daß der sogenannte «Newport-Turm» auf Rhode Island in vorkolumbischer Zeit von Normannen erbaut worden sei. Das Skelett ist verschwunden. Um den Turm wird heute noch hin und wieder diskutiert. Longfellow verschmolz beides zu einer romantischen Brautraubballade von zwanzig Strophen. Hier der Kuriosität halber drei davon:

*Sprich, sprich, Du grauser Gast*
*In rauher Rüstung Glast,*
*Die Knochen nur umfaßt,*
*Willst Du mich schrecken?*
*Nicht Balsam hüllt Dich fein!*
*Sag doch, was fällt Dir ein,*
*Die Hand aus Knochenbein*
*Nach mir zu strecken?*

*Ich war ein Wiking lang.*
*Von meiner Taten Drang*
*Noch nie ein Barde sang.*
*Vergebens sucht man.*
*Nun lausche dem Bericht,*
*Hab acht, daß Dein Gedicht*
*Nicht mit der Wahrheit bricht*
*Du seist verflucht dann!*

*Drei Wochen westwärts ritt*
*Das Schiff im Sturm, es litt,*
*Als eine Küste glitt*
*In Sicht uns leewärts.*
*Der Herrin dort zu Nutz*
*Baut' ich der Mauern Schutz;*
*Es blickt des Turmes Trutz*
*Noch immer seewärts.*

Diskussion um den «Kensington-Stein», an der Menschen aus allen Ländern, Fachleute und noch mehr Laien, Berufene und Unberufene mit Leidenschaft teilnahmen. Denn die Inschrift des Steins, eine nordische Runenschrift, war schnell entziffert. Sie lautete: «8 Schweden und 22 Norweger auf Erkundungsfahrt von Vinland gen Westen. Wir sind an zwei Schären, einige Tagereisen nördlich von diesem Stein, an Land gegangen. Wir waren draußen und fischten einen Tag lang. Nachher kamen wir heim, fanden 10 unserer Leute rot von Blut und tot. AVM [soll wahrscheinlich heißen ‹Ave, Virgo Maria›] erlöse uns von dem Übel. Wir haben 10 Männer am Meer, um aufzupassen auf unser Schiff, 14 Tagereisen von dieser Insel. Jahr 1362.»

Von Anfang an gingen die Meinungen extrem auseinander. Die eine Partei erklärte scharf, daß der Stein eine Fälschung sei, die andere erklärte ihn mit gleicher Schärfe für echt. Dazwischen aber blühten nun die Geschichten um die Wikinger-Landungen auf, in solchem Maße und mit solcher Phantasie, wenn es sich um «Beweisführungen» handelte, daß 1965 Lawrence Steefel, Geschichtsprofessor der University of Minnesota (also direkter Nachbar der ganzen Affäre), meinte, der Streit erinnere ihn lebhaft an die Methode des großen Humoristen Mark Twain, der im Vorwort zu ‹*A Horse's Tail*› schreibt: «Ich habe über dieses Buch einige Anachronismen, fiktive historische Ereignisse und dergleichen verstreut, um der Erzählung über schwierige Passagen hinwegzuhelfen. Diese Idee stammt nicht von mir. Ich habe sie von Herodot. Herodot sagt – zumindest sagt das Mark Twain – ‹Sehr wenige Ereignisse geschehen zur rechten Zeit, und die übrigen geschehen überhaupt nicht. Der gewissenhafte Historiker wird diese Mängel stillschweigend berichtigen.›»[3]

Ohne hier auf die detaillierten und oft sehr scharfsinnigen Argumente beider Seiten einzugehen, sei für den Leser, der sich näher zu informieren wünscht, bemerkt, daß heute zwei Bücher vorliegen, die Pro und Contra komprimiert und mit Schärfe verfechten. Pro ist das Werk von Hjalmar Rued Holand, der 1907 in den Besitz des Steins kam, dann fast sein ganzes Leben der Verteidigung seiner Authentizität widmete, mehrere Bücher darüber schrieb und als sein wichtigstes selber nennt: *Vorkolumbische Kreuzfahrt nach Amerika* (New York 1962). Das wichtigste Contra-Buch stammt von dem Professor für skandinavische Sprachen an der University of California, Erik Wahlgren (selbst skandinavischer Abstammung, ordnet er doch nationale Sentiments der Wissenschaft unter), und hat den Titel: ‹*Der Kensington-Stein. – Das entschleierte Geheimnis*›.

Die Situation ist heute so: Die meisten aller zuständigen Gelehrten halten den Kensington-Stein für eine Fälschung, glauben nicht, daß der Stein aus dem Jahre 1362 stammt, sondern aus dem späten 19. Jahrhundert. Ihre Gründe sind gut und einleuchtend. Aber – das darf nicht verschwiegen werden – es sind Indizien. Der sozusagen *juristische* Nachweis für die Fälschung ist auch vom gründlichen Wahlgren nicht erbracht worden, nämlich die Beantwortung der Fragen: *Wer* hat den Stein gefälscht, und *warum*? Und besonders über das «Warum» einer solchen Fälschung, also über ihre Motivation nachzudenken, bleibt höchst interessant.

Wie dem auch sei – wir sind heute in der glücklichen Lage, diesen Streit ad acta zu legen, nämlich *tatsächlich*, und zwar archäologisch beweisen zu können, daß Wikinger vor Kolumbus und Cabot in Nordamerika landeten und siedelten. Zuvor aber ein kurzer Überblick über das, was die Sagen erzählen.

Die Wikinger passen in keines unserer Konzepte vom Auf und Ab einer «Kultur» oder einer «hohen Zivilisation». Sie waren ein Räubervolk, für das die Sippe die höchste Bindung bedeutete. Auf wunderbaren Schiffen mit vorzüglichen Waffen zogen sie über Meere und Ströme – nach Westen bis Amerika, südwärts bis nach Sizilien, im Osten den ganzen Wolga-Strom hinab. Wo sie aufkreuzten, brannten Städte, floß Blut, und Leichen säumten ihren Weg. Ihre Taten wurden legendär, und jahrhundertelang wurden sie als Sagen an allen Herdfeuern des nördlichen Europa weitergegeben – bis sie schließlich aufgeschrieben wurden.

Diese Sagas sind bemerkenswert trocken erzählt, eine Aufzählung von Fakten, und nicht die Spur homerischen Schwungs lebt in ihnen; die Überhöhung der Figuren ins Heldenhafte ist durchaus zurückhaltend. Das unheldische Moment ist keineswegs unterdrückt, so etwa, wenn wir erfahren, daß die Wikinger auf Island sich nur in den heißen Quellen taufen lassen wollten, weil sie – ausgerechnet die Wikinger – «das kalte Wasser verabscheuten». Oder wenn wir hören, daß Erik der Rote, als er von neuentdeckter Insel zurückkam, die er in den nächsten Jahren zu besiedeln beabsichtigte, berichtete, er habe «Grünland» (Grönland) entdeckt, ein Name, den er einem fast gänzlich mit Eis bedeckten Lande ausdrücklich gab, um es für kommende Siedler «attraktiver» zu machen – ein Trick, den noch heute Grundstücksmakler mit Fleiß praktizieren.

Für uns sind vor allem die «Grönland-Saga» und die «Saga von Erik dem Roten» wichtig, denn sie beschreiben die Entdeckung Amerikas und die erste Berührung mit den Ureinwohnern oder, wie es in den Sagas heißt, die Entdeckung «Vinlands», des Weinlandes.

Es ist wichtig, sich vorzustellen, daß die Entdeckung, ganz anders als die des Kolumbus, sozusagen sprungweise gemacht wurde. Ausgangspunkt war Norwegen, und die Sprünge erfolgten über die Färöer-Inseln, über Island und Grönland. Der erste Wikinger, der Grönland sah, war wahrscheinlich ein Mann namens Gunnbjörn, den schlechtes Wetter westwärts verschlagen hatte. Der erste, der auf Grönland siedelte, war Erik der Rote – an einer Bucht, die Eiriksfjord genannt wurde, mit dem Häuptlingssitz Brattalid. Heute sind zwei Hauptsiedlungsplätze genau bekannt, die einfach «Westliche Siedlung» und «Östliche Siedlung» genannt werden – für die letztere eine unglückliche Bezeichnung, denn sie liegt zwar ein wenig östlich von der «Westlichen Siedlung», aber durchaus noch auf der Westseite, nämlich unmittelbar westlich vom Cape Farewell, der Südspitze Grönlands.

Erik der Rote war nach Grönland gekommen, weil er aus Island wegen Totschlägereien verwiesen worden war. Sein Sohn Leif verbrachte Lehrjahre in Norwegen und kam nach Grönland zurück mit dem königlichen Befehl, die Siedler zu christianisieren, was ihm bei seiner Mutter vortrefflich gelang (sie baute die erste Kirche der westlichen Hemisphäre), bei seinem Vater aber schlecht, der die Priester Nichtsnutze nannte (die englische Übersetzung sagt sowohl «men of mischief» als auch kurz «shyster»).

Hier liegen nun bereits archäologisch erhärtbare Tatsachen vor, denn die Reste dieser ersten Kirche wurden von dem dänischen Archäologen Knud Krogh und anderen ausgegraben, und 1967 gingen durch die Weltpresse die Bilder der Skelette, die gefunden worden waren: Zweifellos die Skelette von Wikingern, die dort gelebt hatten, von dort aufgebrochen waren und Amerika entdeckt hatten. Wundert es, daß sofort behauptet wurde, eins der Skelette müsse von Leif sein, von Leif, dem Amerikafahrer, der nach seiner Entdekkung heimgekehrt war, um in seiner Heimat zu sterben?

Es war Leif, der nach den Sagas als erster das neue Land, die «Neue Welt» entdeckte, nachdem ein anderer, Bjarne Herjolfsson, es vorher gesichtet haben soll. Mit 35 Mann, darunter ein «Südländer», ein Deutscher wahrscheinlich, zumindest ein deutschsprechender Mann namens Tyrkir, segelte Leif im Jahre 1000 nach Chr. westwärts auf Erkundung und stieß zuerst auf eine steinige Küste, wonach er das Land «Helluland» (Steinplattenland) nannte. Es war das heutige Baffin-Land. Er segelte südwärts und entdeckte eine reich bewaldete Küste; er nannte das Land «Markland» (Waldland) – das heutige Labrador. Er segelte weiter südwärts und erreichte ein Land, das er – nun, diese Namensgebung ist genaueren Berichtes wert.

Als sie in diesem dritten Land angekommen waren, erschien es ihnen so schön und fruchtbar, daß sie blieben, Häuser bauten und bald auf weitere Erkundungen gingen. Da geschah es, daß eines Tages der «Deutsche», der Mann namens Tyrkir, vermißt wurde. Leif machte sich auf die Suche – nicht lange, so kam Tyrkir ihm entgegen. Der gebärdete sich närrisch und schnitt Grimassen; er machte, kurz gesagt, den Eindruck eines Betrunkenen. Befragt, was sein Gehabe bedeute, wartete er mit einer erstaunlichen Neuigkeit auf: Er hatte Weintrauben gefunden! Als man bezweifelte, was er erzählte, war er entrüstet: Schließlich sei er in einem südlichen Lande geboren, wo es Weinstökke und Trauben gab. Daraufhin gab Leif dem Lande den Namen «Vinland».

Ob nun Weintrauben oder nicht – Tyrkir muß ein Spaßvogel gewesen sein: Denn noch nie ist es jemandem gelungen, sich an Weintrauben zu berauschen. Doch davon später.

Jedenfalls entzündete sich an der Bezeichnung «Vinland» ein jahrzehntelanger Gelehrtenstreit.

Wilder Wein wächst nämlich in Amerika keineswegs so hoch im Norden, wo auch zweifelnde Kritiker eine Landung der Wikinger immerhin für möglich hielten, sondern erst sehr viel weiter südlich auf der Höhe von Massachusetts. So wurde, ohne daß man auch nur Schatten von Beweisen liefern konnte, doch mit größtem Scharfsinn, das sogenannte Vinland ziemlich überall an der Ostküste Amerikas lokalisiert – bis hinunter nach Florida. Es bedurfte nach all dem Streit eines Mannes, der die alten Berichte noch einmal *unvor-*

*eingenommen* unter die Lupe nahm und *forschte*, statt zu theoretisieren. Dieser Mann kam.

Er kam, wie Eric Graf Oxenstierna, der Wiking-Forscher, dem Außenseiter später bescheinigte[4], mit «der Frische des Pioniers, des Abenteurers, der scharfen und konkreten Wahrnehmung». Was allerdings der große, weißmähnige Norweger als erstes unternahm, war weder pionierhaft noch abenteuerlich. Er fuhr nämlich mit einem gewöhnlichen Bus von New York nach Rhode Island und begann seine Suche damit, daß er spazierenging.

Dieser Helge Ingstad hatte bereits Grönland erforscht und sich dort die ersten Theorien zurechtgelegt, wo Vinland zu lokalisieren sei. Als er 1960 seine erste Expedition ausrüstete, um an Nordamerikas Küste nach Resten der Wikinger-Siedlungen zu suchen (er machte bis 1964 fünf Expeditionen mit Wissenschaftlern aus fünf Ländern), wurde er von der offiziellen Forschung verlacht – wie fast jeder Pionier. Auf einem Küstenstreifen von über 2500 Kilometer Länge nach vielleicht nur einer einzigen Siedlung zu spähen, wurde mit der Suche nach der Stecknadel im Heuhaufen verglichen. Doch schon seine bescheidene Busfahrt nach Rhode Island brachte ein Ergebnis: Er fand dort in längst stillgelegter Kohlenschürfstelle ein Stück Anthrazit, das der Qualität nach genau dem Stück glich, das Archäologen in einem Haus auf Grönland tief in der untersten Schicht gefunden hatten – im Hause des Wikingers Thorfinn Karlsefni, der dort um 1000 nach Chr. lebte. Dieses Stück Kohle war ein Rätsel für die Wissenschaftler gewesen, denn es gibt keinen Anthrazit auf Grönland. Hatte Thorfinn ihn von Rhode Island geholt? Warum nicht?

Aber Ingstad fuhr keineswegs, wie viele glaubten, auf gut Glück. Er hatte einen Plan, und der zielte von Beginn an auf Neufundland. Er hatte nämlich das Wort «Vinland» noch einmal unter die Lupe genommen und fragte unbefangen: Muß denn Vinland wirklich «Weinland» bedeuten?

Und er fand so viele Widersprüche in den Sagas (hierher gehört besonders Tyrkirs offenbar fragwürdige «Wein»-Erzählung), daß er als erstes feststellte: Wein kann man auch (und man machte es!) aus der sogenannten Squash-Beere bereiten, die weit nördlich an Amerikas Küsten wächst; ebenso aus der Johannisbeere, die schwedisch sogar «Vinbär» heißt. Aber er ging einen entscheidenden Schritt weiter. Er bezweifelte überhaupt, daß Vin gleich Wein sei. Er wies nach, daß «Vin» von alters her in übertragenem Sinn ganz einfach «reiches Land», «fruchtbares Land», *«Land der Wiesen und Weiden»* bedeutet. Es gibt in den fruchtbaren Teilen Norwegens und Dänemarks zahlreiche Ortsbezeichnungen, die die Vorsilbe «Vin» tragen, ohne daß dort jemals Wein gewachsen wäre.